101 Fragen & Antworten für Kinder

Natur und Tiere

1. Wann blüht der Löwenzahn?

Wenn der Löwenzahn blüht, weiß man sofort, dass man ohne Mantel aus dem Haus gehen kann. Dafür braucht man kein Thermometer. Die Blüten des Löwenzahns öffnen sich nämlich erst bei einer Temperatur von über 10 Grad. Wenn draußen der Löwenzahn blüht, dann ist es auf alle Fälle über 10 Grad warm.

2. Wie klettert der Hopfen am liebsten?

Hopfen ist die Pflanze, die das Bier bitter macht. Er hilft aber auch gegen Fieber und Entzündungen und beruhigt. Hopfen ist eine Kletterpflanze. Viele Kletterpflanzen winden sich immer mit derselben Drehrichtung dem Licht entgegen. Dabei ist es gleich, ob sie auf der Nord- oder Südhalbkugel wachsen. Die Schwarzäugige Susanne wächst rechts herum zum Licht, der Hopfen links herum.

3. Können Pflanzen auch täuschen?

Ja! Die Lebenden Steine sehen ein bisschen wie Kakteen aus. Sie tarnen sich als Kiesel, um vor Pflanzenfressern sicher zu sein. Der Aronstab lockt Fliegen mit Gestank an. Sie fallen in einen Trichter und werden erst wieder entlassen, wenn sie die Blüten des Aronstabs bestäubt haben. Die raffiniertesten Täuschblumen finden wir unter den Orchideen. Sie sehen aus wie Wespenweibchen und riechen auch so. Ein Männchen kommt angeflogen und beginnt mit der Paarung. Nach einiger Zeit bemerkt es seinen Irrtum. Aber die Orchidee hat ihr Ziel erreicht. Sie ist bestäubt und kann nun Samen bilden.

Rätsel

Er gräbt sich im Herbst nach den ersten Nachtfrösten bis einen Meter tief in den Boden ein und verschläft dort die kalte, nahrungsarme Winterszeit. Dabei rollt er sich zu einer Kugel zusammen und legt seinen buschigen Schwanz über sein Gesicht. Wenn er im Mai oder Juni wieder aufwacht, hat er manchmal sieben Monate geschlafen. Wie heißt dieses Tier?

Siebenschläfer

4. Bewegen sich Pflanzen?

Natürlich bewegen sich alle Pflanzen, wenn sie wachsen. Das geschieht ganz langsam. Aber ein paar Pflanzen bewegen sich doch erstaunlich schnell. Die Venusfliegenfalle fängt Insekten und klappt dazu ihre Blätter in einer Zehntelsekunde zusammen. Noch schneller sind die Früchte des Springkrauts. Sie öffnen sich in 6 Tausendstelsekunden und schleudern dabei ihre Samen weg. Den Rekord aber halten Blüten eines Hartriegels mit nur 0,2 Tausendstelsekunden. Die Pflanzen beschleunigen dabei ihre Pollenkörner auf das 2 400-Fache der Erdbeschleunigung.

5. Warum sind die Blätter im Frühjahr hellgrün und im Sommer dunkelgrün?

Wenn sich die jungen Blätter aus den Knospen entfalten, bilden sie sofort Blattgrün. Dadurch müssten sie eigentlich gleich dunkelgrün werden. Aber sie bleiben zunächst hellgrün. Der Grund liegt in einer zweiten Gruppe von überwiegend gelben Blattfarben, den Karotinoiden. Auch ihre Menge nimmt zu. Deswegen erscheinen Frühlingsblätter hellgrün. Im Sommer gehen die Karotinoide zurück, und das Grün der Blätter wird dunkler. Im Herbst wird das Blattgrün abgebaut, und die Karotinoide kommen wieder zum Vorschein, diesmal als gelbe oder rote Herbstfärbung.

Kaum zu glauben!

In den Gebirgen Nordamerikas und in den Gebirgen und Steppengebieten Mittelasiens leben Hasentiere, die entweder einzeln, im Chor oder im Duett singen. Dieses Verhalten hat zu ihrem Namen Pfeifhase oder (lautmalerisch) Pika geführt. Sie halten keinen Winterschlaf.

6. Wo stehen Hexenringe?

Hexenringe sind in unseren Wäldern zu beobachten. Da stehen manche Pilze in einem geschlossenen Kreis. Diese Form ist leicht zu erklären: Das Pilzgeflecht wuchs von einem Punkt aus gleich schnell in alle Richtungen und bildete dann, als die Zeit gekommen war, Fruchtkörper aus. Diese Fruchtkörper sind das, was wir als Pilze bezeichnen. In Namibia gibt es ähnliche Erscheinungen: Da stehen kreisrunde nackte Flächen in einer Steppenlandschaft. Die Wissenschaftler forschen und forschen, sie haben aber noch nicht herausgefunden, wie diese Feenkreise zustande kommen.

7. Was frisst der Große Panda am liebsten?

Hauptnahrungsmittel des Großen Panda sind die höchsten Gräser, die es gibt: Sie heißen nach einem malayischen Wort Bambus und erreichen eine Höhe von bis zu 40 Metern. Zum Vergleich: Unser Schilf ist das höchste einheimische Gras und wird ungefähr 2 Meter hoch. Bambusse blühen oft nur einmal in einem Jahrhundert, und zwar alle gleichzeitig. Danach sterben alle Pflanzen ab. Kaum ein Tier mag Bambuslaub fressen außer dem Großen Panda. Er läuft Gefahr auszusterben, wenn der Bambus in seiner Heimat blüht und dann abstirbt, weil es dann ein bis zwei Jahre für ihn nichts zu fressen gibt.

8. Reden Pflanzen miteinander?

Sie reden zwar nicht, tauschen sich aber aus. Dazu verwenden sie Düfte. Wenn eine Raupe an einem Wilden Tabak nagt, reagiert er darauf und sendet eine größere Zahl von Düften aus. Andere Tabakpflanzen in der Nähe verstehen diese Duftsprache: Sie beginnen sofort, sich auf einen Angriff solcher Raupen vorzubereiten. Merkwürdigerweise verstehen auch noch andere Pflanzenarten die Sprache des Tabaks, wie zum Beispiel der Beifuß. Die beiden Pflanzen warnen sich gegenseitig vor Schädlingen.

Schon gewusst?

Der gut 3 Meter hohe Elch, die größte Hirschart der Erde, ist trotz seines ausladenden Geweihs ein guter Schwimmer und Taucher. Bei der Nahrungssuche weidet er auch Pflanzen wie Seerosen am Grund von Gewässern ab. Dabei kann er bis zu 5 Meter tief tauchen.

9. Welches ist das größte Lebewesen, das es auf der Welt gibt?

Es ist ein häufig vorkommender Pilz – der Hallimasch. Von Pilzen sehen wir im Herbst immer nur die Fruchtkörper. Dass Pilze aber das ganze Jahr über in einem Geflecht durch den Waldboden wachsen, ist uns nicht klar. Beim Hallimasch befällt dieses Geflecht Bäume und frisst sie von innen her aus. Es kann 800 Meter lang und 500 Meter breit und wahrscheinlich über 1 000 Jahre alt werden. Das ergaben Forschungen in der Schweiz. In Amerika sollen noch größere Pilze mit einem Gesamtgewicht von vielleicht 600 Tonnen leben.

10. Welche Pflanzen kommen in Deutschland am häufigsten vor?

An erster Stelle der häufigsten Pflanzen steht wohl der Weißklee. Extrem häufig sind zwei Gräserarten, die aber nur Spezialisten kennen, ein Rispen- und ein Knäuelgras. An vierter Stelle steht die Brennnessel. Dahinter kommen zwei Hahnenfußarten, auch Butterblumen genannt. Löwenzahn und Wegerich kennen alle vom Fußballplatz. Die wachsen dort nämlich in großen Mengen, weil sie Tritte vertragen.

11. Warum nennt man empfindliche Menschen Mimosen?

Mimosen sind Pflanzen, Hülsenfrüchtler. Fast alle stammen aus Amerika. Sie haben dornige Stängel und gefiederte Blätter. Einige Mimosenarten reagieren, wenn man sie berührt: Sie ziehen ihre Fiederblättchen zusammen und werden ganz schlaff. Nach einigen Minuten öffnen sie sich von selbst wieder.

12. Sind Walnüsse Nüsse?

Eine Nuss ist eine Frucht mit nur einem Samen. Die Fruchtwand ist zu einer einzigen harten und verholzten Schale verwachsen. Zu den Nüssen gehören die Cashewnuss, die Edelkastanie (Marone), die Haselnuss, die Flügelnuss der Weißbirke, die Eichel, die Buchecker, viele Getreidearten wie Weizen und Roggen und auch Sonnenblumenkerne. Paranüsse, Rosskastanien, Muskatnüsse, Walnüsse, Erdnüsse, Kokosnüsse und Mandeln sind im biologischen Sinne keine Nüsse. Die Walnuss, die Kokosnuss und die Mandel sind Steinfrüchte, wie Aprikosen, Kirschen oder Pflaumen.

13. Wie bestimmt man das Alter von Bäumen?

Bei uns in Europa ist der Winter kalt und der Sommer warm. Bäume wachsen nur in der warmen Jahreszeit. Sie beginnen damit im Frühjahr und hören im Herbst auf. Dann folgt die Winterpause. Im nächsten Jahr geht das Wachstum weiter. In jedem Jahr legt ein Baum einen Ring aus Holz zu, einen Jahresring. An einem gefällten Baum kann man leicht die Jahresringe auszählen. Diese sehen nicht immer gleich aus. In warmen und feuchten Jahren sind sie breiter, in kühlen Jahren dagegen schmaler. Die Dicke der Jahresringe verrät uns also viel über das Wetter.

14. Gibt es Lebewesen im Asphalt?

Bei uns wachsen Pflanzen in der Tat mitten im Asphalt. Auch in der Natur gibt es Asphaltseen. Wo Erdöl aus der Erde quillt, wird es zähflüssig wie Asphalt. Kürzlich hat man mehrere solcher Stellen im Golf von Mexiko gefunden, also auf dem Meeresboden. In diesem Asphalt leben Bakterien und fühlen sich sehr wohl. Auf dem Asphalt haben sich Bartwürmer festgesetzt, die bis zu 2 Meter lang werden. Sie gehören zu den merkwürdigsten Tieren. Trotz ihrer Länge haben sie keinen Darm. Sie leben von Stoffen, die ihnen Bakterien zur Verfügung stellen. Diese halten sich in den Bartwürmern sozusagen als Mieter auf. Man nennt das eine Symbiose.

15. Schneidet man Pilze ab oder dreht man sie heraus?

Oder lässt man sie nicht doch besser stehen? 30 Jahre lang haben Schweizer Forscher in verschiedenen Wäldern untersucht, wie sich das Sammeln auf das Wachstum der Pilze auswirkt. Und die kürzeste Antwort darauf lautet: gar nicht. Ob man Pilze sammelt oder sie schützt, ist den Pilzen offensichtlich egal. Pilze gehen durch das Sammeln nicht zurück. Ob es in einem Jahr viele Steinpilze gibt oder nicht, bestimmt allein das Wetter. Es spielt auch keine Rolle, ob man die Pilze abschneidet oder herausdreht.

16. Wieso blüht der Weihnachtsstern gerade an Weihnachten?

Der Weihnachtsstern stammt aus Mexiko, nahe dem Äquator. Dort ist der Tag immer rund 12 Stunden lang. Der Weihnachtsstern blüht nur, wenn der Tag nicht länger ist. Er ist eine sogenannte Kurztagpflanze. Im Sommer kann er bei uns nicht blühen, weil es dann bis zu 16 Stunden lang hell ist. Die Weihnachtszeit hingegen sagt ihm zu. Die roten Blätter sind aber überhaupt nicht die Blüten! Die eigentlichen Blüten sind klein und unscheinbar gelb.

Rätsel

Er lebt in bisweilen riesigen, unterirdischen Bauen, die er mit seinen kräftigen Vorderpfoten mit langen Krallen selbst gräbt. Solche Baue werden oft von mehreren Generationen bewohnt; gelegentlich lebt auch der Fuchs als Untermieter mit im Bau. Wie heißt diese Tier, das man auch Meister Grimbart nennt?

Dachs

17. Was braucht die Paranuss, damit sie keimt?

Nur mit reichlich Wasser wird aus dem Samen ein Keimling. Aber bei der Paranuss reicht das nicht aus. Sie hat eine sehr harte und dicke Schale, die der Keimling selbst nicht durchbrechen kann. Erst muss ein südamerikanisches Nagetier, ein Aguti, an der Paranussschale geknabbert haben. Damit schafft es eine Schwachstelle, sodass der Keimling die Schale aufsprengen kann. Das Aguti knabbert den Samen an, vergräbt ihn als Vorrat für schlechte Zeiten – und vergisst ihn dann. So kann die Paranuss endlich keimen.

Experiment

Kann man einen Schimpansen zum Menschen machen? Diese Frage wollte 1931 der Psychologe W. Kellogg klären. Er nahm dazu das Schimpansenbaby Gua in seine Familie auf und ließ es genau so wie seinen Sohn Donald aufwachsen. Gua kam in den Kinderwagen, trug Pyjamas, wurde geküsst und musste aufs Töpfchen gehen. Gua kam mit der Welt der Menschen gut zurecht. Sie gehorchte besser als Donald, und sie fand schneller als er neues Spielzeug. Donald lernte die Affensprache, blieb aber in der Entwicklung zurück: Nach 19 Monaten konnte er gerade mal drei Wörter. Donald holte nach dem Abbruch des Experiments den Rückstand schnell auf. Er wurde später ein kluger Arzt!

18. Wie schwer wird ein Baum?

Nehmen wir einmal eine normale Buche, die ungefähr 100 Jahre alt ist. Der Stamm hat in Brusthöhe einen Umfang von 2 Metern. Das entspricht einem Durchmesser von rund 65 Zentimetern. Es gibt keine genaue Formel, um das Gewicht eines solchen Baumes zu berechnen. Ein Förster würde aus Erfahrung sagen, er ist rund 4 Tonnen schwer. Man darf dabei nicht vergessen, dass der Baum auch unter der Erde weitergeht. Auch die Wurzeln haben ein Gewicht. Eine solche Buche hat vielleicht 500 000 Blätter mit einem Gewicht von über 100 Kilogramm. Das meiste Gewicht eines Baums liegt aber erwartungsgemäß in seinem Holz.

19. Welches Tier ist der Weltmeister im Hochsprung?

Weltmeister ist die Wiesenschaumzikade. Sie ist 6 Millimeter lang und schafft eine Höhe von 70 Zentimetern. Um die 70 Zentimeter zu erreichen, muss die Zikade die 400-fache Erdbeschleunigung erzeugen. Die Wiesenschaumzikade ist keineswegs ein exotisches Insekt. Sie kommt in jeder feuchten Wiese vor. Wer durch eine solche Wiese streift, gerät immer wieder an kleine Schaumklümpchen. Der Schaum hat sogar einen eigenen Namen: Kuckucksspeichel.

20. Welches Tier wird uralt?

Den Rekord hält ein Riesenschwamm. Er lebt auf dem Meeresboden der Antarktis und wird nachweislich über 10 000 Jahre alt. Die Obergrenze für alle anderen Tiere scheinen 200 Jahre zu sein. Sie wird aber nur von Riesenschildkröten und Grönlandwalen erreicht. Die nächste Grenze liegt bei 100 Jahren: Mensch, Krähe, Storch, Stör und Karpfen und auch Riesenmuscheln können so alt werden. Vögel werden allgemein älter als Säuger. Und große Säuger wiederum werden viel älter als kleine: Der Elefant lebt etwa 70 Jahre, die Maus hingegen schafft nur ein paar Jahre.

21. Wie hoch können Vögel fliegen?

Bergsteiger berichten, wie schwierig es ist, oberhalb von 7 000 Metern überhaupt noch Luft zu bekommen. Die Luft ist dort oben dünn: zweimal schwer atmen, einen Schritt steigen, zweimal atmen, wieder einen Schritt machen. Der Streifengans scheint diese Höhe nichts auszumachen. Sie überquert auf ihrem Zug den Himalaja und dringt dabei in Höhen von etwa 8 000 Metern vor, in denen auch Verkehrsflugzeuge fliegen.

22. Warum ist das Horn des Nashorns für viele so wertvoll?

Viele Völker glauben, das Horn des Nashorns bestehe aus einem geheimnisvollen Stoff, der viele Krankheiten heilt. Deswegen werden heute noch Nashörner gejagt. Die Wilderer haben es nur auf das Horn abgesehen. Reiche Chinesen zahlen dafür bis zu 20 000 Euro. Wenn die wüssten, woraus das Horn ist! Aus demselben Stoff wie unsere Haare und unsere Fingernägel, nämlich Horn, auch Keratin genannt. Genauso gut könnte man an den eigenen Fingernägeln knabbern – und billiger wäre es ohnehin.

23. Wo leben die meisten Dromedare?

Die Heimat des Dromedars liegt in Nordafrika und Arabien. Aber die meisten Tiere leben heute in Australien. In der Mitte des 19. Jahrhunderts suchten die Australier nach einem Transporttier und kamen auf das Dromedar. Rund 12 000 Tiere wurden damals eingeführt und halfen zum Beispiel beim Bau der Eisenbahn. Dann verwilderten die Tiere. Heute leben in Australien 500 000 Dromedare! Die Tiere nehmen keine Rücksicht und fressen in der Wüste alle ohnehin kümmerlichen Pflanzen weg. Deswegen greifen die Australier jetzt zur Waffe und jagen ihre Kamele. Es gibt schon Camelburger in den Restaurants!

24. Welches waren oder sind die größten fliegenden Lebewesen?

Adler? Störche? Flughunde gar? Nein, die größten fliegenden Tiere waren die Flugechsen im Zeitalter der Dinosaurier. Pteranodon zum Beispiel hatte eine Flügelspannweite von 8 Metern. Er hatte aber keine Federn. Lange feine Knochen spannten eine wahrscheinlich behaarte Flughaut aus. Pteranodon holte sich Fische von der Wasseroberfläche. Er starb wie alle anderen Saurier aus.

25. Wie unterscheiden sich Kaninchen und Feldhase voneinander?

Das Hauskaninchen heißt zwar auch Stallhase, aber die beiden Arten unterscheiden sich doch deutlich: Das Wildkaninchen gräbt stets weit verzweigte Gangsysteme im Boden. Es ist nachts aktiv, kleiner als der Feldhase und hat auch kürzere Ohren. Der Feldhase baut nie unterirdische Gänge. Er versteckt sich höchstens in flachen Mulden. Er wird größer als das Kaninchen und hat längere Ohren.

Kaum zu glauben!

Das variantenreichste Haustier ist der Haushund. Es gibt über 400 verschiedene Rassen. Alle stammen vom Wolf ab, ob Chihuahua, die kleinste Hunderasse, die gerade knöchelhoch wird, oder Irischer Wolfshund, mit knapp 80 Zentimetern Schulterhöhe die größte Rasse. Nicht nur die Größe variiert beträchtlich, auch die Fellbeschaffenheit. Es gibt Lockenhunde wie Pudel, lang- und kurzhaarige Hunde oder nackte Hunde wie den Mexikanischen Nackthund, der als lebende Wärmflasche diente.

26. Wer hat den höchsten Blutdruck im Tierreich?

Unser Herz ist eine Pumpe. Damit es Blut zum Beispiel in unseren Kopf pumpen kann, muss es einen bestimmten Druck erzeugen. Je weiter oben nun der Kopf liegt, umso höher muss der Blutdruck sein. Und der Rekordhalter? Natürlich die Giraffe. Ihr Kopf liegt fast 3 Meter höher als ihr Herz.

27. Wie viele Kängurujunge teilen sich den Beutel ihrer Mutter?

Wenn ein Kängurubaby etwa ein Jahr alt ist, trinkt es noch gerne im Beutel, aber es beginnt auch schon, selbst draußen zu fressen. Manchmal flitzt es, wenn es Durst hat, nur schnell zur Mutter und streckt den Kopf zum Milchtrinken in den Beutel. Die Milch, die es bekommt, ist ziemlich fettreich. Gleichzeitig kommt aber wieder ein Geschwisterchen auf die Welt, klein wie eine Kaffeebohne, und kriecht in den Beutel. Dieses Baby lebt nun ganz im Beutel und braucht weniger Fett, aber mehr Stärke. Die beiden Geschwister teilen sich nachts das Zuhause, bekommen aber verschiedene Milch.

28. Warum sammeln Hamsterratten auch Murmeln ein?

Riesenhamsterratten sammeln von sich aus alles ein, was sie finden – einfach weil sie so nervös sind. Das Tier muss bei der Futtersuche in seiner afrikanischen Heimat immer auf der Hut sein. Zu viele Feinde wollen es gerne fressen. Es stopft sich daher seine Backentaschen so schnell es geht voll und untersucht erst nach der Heimkehr in seinem schützenden Bau, ob das, was es mitgenommen hat, essbar ist. Pech, wenn man seine Murmeln nach dem Spielen nicht mit ins Haus genommen hat.

Rätsel

Die Rufe dieser Jungtiere nach ihrer Mutter klingen so jämmerlich, dass man sie „Heuler" nennt. Ein Heuler ruft nach seiner Mutter, weil sie zum Beispiel gerade zur Nahrungssuche im Wasser ist oder weil er die Mutter verloren hat. Welches Tier ist gemeint?

Seehund

29. Zählten die Saurier zu den Säugetieren oder zu den Reptilien?

Die Saurier starben vor rund 60 Millionen Jahren aus. Überlebt haben aus jener Zeit nur die Schildkröten, die Schlangen, die Echsen und die Krokodile – allesamt Reptilien. Reptilien unterscheiden sich von den Säugern durch viele Merkmale. Sie haben Schuppen auf der Haut und keine Haare. Sie sind wechselwarm und damit immer so warm wie ihre Umgebung. Säuger hingegen haben eine gleichbleibende Körpertemperatur. Manche Dinosaurier sahen allerdings heutigen Säugern schon sehr ähnlich, etwa die Horndinosaurier, die an Nashörner erinnern.

30. Wie lang wird das längste Krokodil?

Bei Längenangaben muss man sich immer in Acht nehmen. Es wurden schon 8 Meter für das Leistenkrokodil angegeben. Dabei handelt es sich meistens nicht um exakte Messungen, sondern um grobe Schätzungen, und nicht selten wollten sich früher Jäger mit solchen Zahlen wichtig machen: Aufschneiderei, Jägerlatein! 7 Meter lange Krokodile scheint es in Australien früher einmal gegeben zu haben. Die größten werden heute immerhin noch deutlich über 5 Meter lang.

31. Welche Tiergruppe ist aus den Quastenflossern entstanden?

Die Quastenflosser haben stark fleischige Schuppen, und die Forscher nehmen an, dass sich aus ihnen die ersten vierfüßigen Landtiere entwickelt haben: die Amphibien. Die Quastenflosser leben schon seit 350 Millionen Jahren auf der Erde. Zwei Arten von ihnen haben sogar bis heute überlebt. Man nennt solche Zeugen der Urzeit auch lebende Fossilien.

Schon gewusst?

Mit seinen namengebenden, bis 20 Zentimeter langen Ohren kann der Kalifornische Eselhase nicht nur vorzüglich hören, sondern auch seine Körpertemperatur regulieren. Ist es dem Hasen zu heiß, stellt er seine Löffel auf, faltet sie auseinander und lässt sie vom Wind kühlen.

32. Was macht das Pferd, wenn es nicht mehr weiterweiß?

Wenn wir nicht mehr weiterwissen, sind wir in einem Zwiespalt. Sollen wir nun zum Beispiel lachen oder heulen? Und weil wir das gerade nicht wissen, machen wir etwas Sinnloses. Wir kratzen uns. Man nennt das eine Übersprungshandlung. Man findet sie auch bei Tieren. Wenn ein Pferd das eine Ohr nach vorne, das andere nach hinten richtet, befindet es sich in einem Zwiespalt. Es schwankt zwischen nervös und gutmütig. Beide Ohren nach vorne bedeutet, dass das Pferd gut aufgelegt und neugierig ist. Wenn es beide Ohren zurücklegt, ist es nervös und gereizt. Dann sollte man aufpassen!

33. Gibt es Kampfziegen?

Ziegen sind Herdentiere, und innerhalb einer Herde herrscht stets eine gewisse Rangordnung. Das ist bei Schafen, Ziegen und Wölfen (und auch Menschen) so. Wer die Herde anführt, wird in Kämpfen ausgefochten. Das tun auch die Ziegen. In den Bergtälern der Südalpen, besonders im italienischen Aostatal, leben besonders kampflustige Ziegen. Sie werden für richtige Wettbewerbe gezüchtet. Wenn eine Ziege fühlt, dass sie unterlegen ist, gibt sie das durch ein leichtes Ausweichen zu erkennen. Dann ist der Kampf beendet. Unterlegene Ziegen verstecken sich dann gerne hinter ihren Besitzern und lassen sich von ihnen trösten.

34. Warum sehen Eulen nachts so gut?

Eulen sehen nachts so gut, weil sie mit ganz wenig Restlicht auskommen. Vor Kurzem hat man entdeckt, dass die meisten Vögel auch Ultraviolett sehen, also eine „Farbe", für die wir kein Sinnesorgan haben. Man hat das genauer bei Turmfalken untersucht. Wenn sie im Flug in der Luft über einem Feld stehen bleiben, können sie Urin- und Kotspuren von Mäusen sehen. Mäuse-Urin nimmt ultraviolette Strahlung auf, und die Falken sehen dies auf eine Weise, die wir uns nicht richtig vorstellen können. Falken sehen mit einem Blick, ob auf einem Feld Mäuse leben und sich die Jagd lohnt.

35. Wie lange kann eine Suppenschildkröte tauchen?

Schildkröten brauchen Sauerstoff und müssen atmen. Suppenschildkröten ernähren sich hauptsächlich von Seegras. Ihre Lieblingsspeise wird sogar treffend Schildkrötengras genannt. Tief im warmen Meer liegen „Seegras-Wiesen". Um hier weiden zu können, ohne ständig aufzutauchen, kann die Schildkröte ihr Herz ganz langsam schlagen lassen – und muss dann nur etwa alle fünf Stunden einmal Luft holen. Suppenschildkröten wachsen sehr langsam. Manche werden erst mit 50 Jahren erwachsen. Dann beginnen die Weibchen alle paar Jahre am Strand Eier zu legen, aus denen junge Schildkröten schlüpfen.

36. Können Silberfischchen schwimmen?

Silberfischchen sind keine Fische, sondern Insekten. Und schwimmen können sie auch nicht. Silberfischchen sind nicht einmal einen Zentimeter groß und haben keine Flügel. Sie leben in Ritzen, im Boden, unter Tapeten, in Abflüssen und unter Teppichen. Silberfischchen sind genügsam, fressen Brotkrümel, Schimmelpilze und sogar Tapetenkleister. Auch Papier knabbern sie an. Silberfischchen leben in fast jedem Haushalt.

37. Was ist so schrecklich an den Heuschrecken?

„Schrecken“ bedeutet nichts anderes als „plötzlich aufspringen“, was Heuschrecken nun mal gerne machen. Daher haben sie ihren Namen. Heuschrecken sind an sich aber harmlos – bis auf die Wanderheuschrecken. Unter günstigen Bedingungen vermehren sie sich in Gebieten am Rand der Sahara. Dann fliegen sie in ungeheuren Schwärmen von vielen Millionen Tieren los. Wo sie landen, verwandeln sie grüne Landschaften innerhalb weniger Stunden in braune Wüsten. Sie fressen alles ab und ziehen dann weiter.

38. Legen sich Gelbbauchunken zum Schlafen auf den Rücken?

Wenn sich eine Rot- oder Gelbbauchunke auf den Rücken legt, dann will sie es sich nicht gemütlich machen. Sie tut das nur bei Gefahr und zeigt ihre rot beziehungsweise gelb gescheckte Unterseite als Warnung an alle Feinde. Die Signalfarben bedeuten im Tierreich: Vorsicht! Ich bin giftig! Ähnliches gilt auch für die bunten Pfeilgiftfrösche aus Südamerika. Die Oberseite der in Süddeutschland vorkommenden Gelbbauchunke ist gar nicht aufregend: graubraun, oft mit verwaschenen helleren Flecken – ziemlich unscheinbar.

Kaum zu glauben!

Unter den Säugetieren halten die Grauwale den Langstreckenrekord bei Tierwanderungen. Sie wandern von den nahrungsreichen Gebieten um Alaska im Herbst in mildere Regionen bei Niederkalifornien in Mexiko, wo sie ihre Jungen gebären. Im Frühjahr geht die Reise zurück in die Polargebiete. Dabei legen die Grauwale eine Strecke von etwa 20 000 Kilometern zurück.

39. Gehört der Präriehund zu den Raubtieren oder zu den Nagern?

Die nordamerikanischen Präriehunde sehen ein wenig wie kleine Haushunde aus und jaulen auch ganz ähnlich. Aber ihr Gebiss mit den starken Schneidezähnen verrät, dass es Nagetiere sind. Sie erinnern an Murmeltiere und graben wie diese Gänge im Boden. Sie leben gerne eng beieinander und siedeln zu Tausenden in richtigen „Städten“. Das mögen die Viehzüchter nicht. Deswegen jagten sie vielerorts die Präriehunde.

40. Wie machen die Bienen Honig?

Bienen saugen mit ihrem Rüssel einen süßen Saft aus den Blüten. Man nennt ihn Nektar. Er landet im Bienenmagen, der Honigblase. Dort vermischt ihn die Biene mit körpereigenen Stoffen. Dann würgt die Biene die Flüssigkeit wieder hervor und lagert sie in Waben aus Bienenwachs. Dort reift der Honig und verliert dabei das meiste Wasser. Übrig bleibt der zähflüssige, süße Honig. Von einem Bienenvolk kann der Imker im Herbst etwa 7 Kilo Honig ernten, dafür muss er seine Bienen aber mit Zuckerwasser versorgen, denn eigentlich machen die Bienen den Honig, um für sich und ihre Brut immer genug Nahrung zu haben.

Rätsel

Diese Pferde haben einen breiten, kompakten Körperbau und relativ kurze, stämmige Beine. Sie können große Kraft entwickeln und werden zum Ziehen von schweren Geräten und Fahrzeugen eingesetzt. Wie heißt diese Pferderasse?

Kaltblut

41. Gibt es ein Tier, das gern Teppiche frisst?

Teure Teppiche bestehen aus Wolle. Wolle besteht wie unsere Fingernägel und Haare aus Horn. Das ist ein schwer verdauliches Material. Trotzdem gibt es ein Insekt, das Wolle frisst: die Kleidermotte. Sie selbst hat zwar verkümmerte Mundteile und muss während ihres kurzen Lebens fasten. Doch die Raupe des kleinen, grauen Schmetterlings ist sehr gefürchtet. Sie liebt auch Pullover oder Pelzkragen.

42. Von welchem Kontinent stammt der Waschbär?

Der Waschbär ist kein einheimisches Tier. Er stammt aus Nordamerika. Dort wurde sein weiches Fell schon früh geschätzt. Als begehrtes Pelztier wurde er auch in Deutschland gezüchtet. Es entkamen einige Tiere in die Freiheit. Heute kommt der Waschbär in fast allen Bundesländern vor. Besonders häufig ist er in der Stadt Kassel.

43. Warum fürchten sich Vögel vor Tagpfauenaugen?

Das Tagpfauenauge ist einer der schönsten Schmetterlinge. Im Ruhezustand sitzt er mit zusammengeklappten Flügeln da und sieht wie ein dürres Blatt aus. Wenn ihm aber ein Vogel zu nahe kommt, öffnet er seine Flügel mit der Augenzeichnung und erzeugt dabei ein zischendes Geräusch. Wissenschaftler haben nun herausgefunden, dass das Augenmuster tatsächlich Vögel abschreckt. Sie übermalten die Augen der Schmetterlinge. Daraufhin wurden 13 von 20 Schmetterlingen gefressen. Von 34 Faltern mit vollständiger Augenzeichnung kamen hingegen 33 mit dem Leben davon.

44. Wieso leuchten Glühwürmchen?

Meistens sieht man die weiblichen Glühwürmchen aufblitzen, die mit ihrem Licht die nicht leuchtenden Männchen anlocken. Sie haben an ihrer Bauchseite ein besonderes Leuchtorgan. Darin entsteht durch eine chemische Reaktion Licht. Wenn man ein solches Glühwürmchen anfasst, verbrennt man sich nicht die Finger. Es ist völlig kalt. An der Glühbirne hingegen holt man sich eine Verbrennung. Die Glühbirne verwandelt nur ein Zehntel der eingesetzten Energie in Licht. Forscher aus der ganzen Welt versuchen, kaltes Licht, wie die Glühwürmchen es bilden, industriell herzustellen – bislang allerdings ohne echten Erfolg.

45. Was ist die Lieblingsnahrung des Marienkäfers?

Blattläuse! Und keiner hat Mitleid mit ihnen. Sie legen sich wie ein klebriger Film über die Pflanzen und bringen sie zum Absterben, weil sie deren Saft aussaugen. Kein Wunder, dass Marienkäfer so beliebt sind. Sie vertilgen Blattläuse in rauen Mengen. Doch dem sehen die Blattläuse nicht tatenlos zu. Sie produzieren einen Duftstoff, mit dem sie ihre Kolonie alarmieren. Daraufhin beginnen sich die Blattläuse mehr zu bewegen. Einige lassen sich fallen. Sofort wird mit der Produktion geflügelter Tiere begonnen, damit mindestens einige Tiere fliehen und die Kolonie anderswo weiter fortführen können.

46. Sind Gorillas Vegetarier?

Ein ausgewachsenes Gorillamännchen wird bis zu 200 Kilogramm schwer. Aber um dieses Gewicht zu erlangen, braucht es kein Fleisch. Gorillas sind friedliche Vegetarier. Sie fressen nur Blätter und Früchte, genauso wie Orang-Utans. Schimpansen hingegen machen gerne mal Jagd auf andere Affen, töten und verspeisen sie. Sie tun sich auch an Insektenlarven oder Termiten gütlich.

47. Aus welchem Grund sterben unsere Rosskastanien ab?

Schon mitten im Sommer werden die Blätter braun und sterben ab. Schuld daran ist ein winziger Schmetterling, eine Miniermotte. Sie wurde erst 1984 in Mazedonien entdeckt. Vorher war sie der Wissenschaft noch gar nicht bekannt. Doch dann breitete sie sich rasend schnell über ganz Europa aus. Die Gründe dafür sind völlig unbekannt. Heute stehen die stolzen Rosskastanien unserer Biergärten schon im Juli wie Ruinen da: braun, aufgefressen, zerzaust. Die Raupen der Motten sind nicht zu sehen, weil sie zwischen der obersten und der untersten Zellschicht im Innern der Blätter leben.

48. Was versteht man unter Hochwild und Niederwild?

Früher war die Jagd adligen Herren vorbehalten. Nur Könige und Landesherren durften Hirsche, Bären, Wildschweine, Rothirsche und auch Auerhähne erlegen. Deswegen zählen diese Tiere zum Hochwild. Nur das Niederwild wie Hasen, Kaninchen, Rebhühner und Tauben durfte der niedere Adel und vielleicht auch die Bauern jagen. In Deutschland zählt das Reh zum Niederwild, schließlich hat der Bock kein besonders attraktives Geweih.

49. Warum fliegen Nachtfalter immer ans Licht?

Lichter sind Orientierungshilfen für Nachtfalter in der Dunkelheit. Von Natur aus leuchten nachts allerdings nur der Mond und die Sterne. Dass es heute so viele Laternen und Lampen gibt, bringt die kleinen Tiere sehr durcheinander und oft auch in Lebensgefahr. Jedes Jahr finden vermutlich 50 Billionen Insekten an künstlichen Lichtern den Tod, das sind 25 000-mal mehr, als Menschen auf der Erde leben.

Schon gewusst?

Mit durchschnittlich 40 Stundenkilometern kann den Gabelbock kein Raubtier Nordamerikas einholen. Im Spurt, etwa auf der Flucht vor Feinden, vermag er sogar bis zu 95 Stundenkilometer zu erreichen, kann diese Geschwindigkeit allerdings nur knapp 2 Kilometer aufrechterhalten. Dabei springt er bis zu 6 Meter weit.

50. Kauen Kühe Kaugummi?

Kühe kauen stundenlang, ohne sich etwas in den Mund zu schieben. Sie käuen wieder. Sie kauen das noch einmal, was sie Stunden zuvor gefressen haben. Das geht so: Kühe reißen große Mengen Gras mit der Zunge ab, kauen es kurz und schlucken es hinunter. Nach dem Schlucken gelangt das Gras in einen großen Magen, den Pansen. Dort bewirken Bakterien eine Art Gärung, und aus dem Gras wird so etwas Ähnliches wie Sauerkraut. Nach ein paar Stunden holt die Kuh ihr „Sauerkraut“ wieder hoch in den Mund. Sie kaut es sorgfältig noch einmal und schluckt es diesmal in einen anderen Magen, wo die normale Verdauung beginnt.

51. Leben in Deutschland Papageien?

Papageien sind in Europa eigentlich nicht heimisch. Immer wieder aber sind Käfigtiere entkommen. In der Freiheit fanden sie schließlich einen Partner. In Wiesbaden zum Beispiel leben über 1 000 Alexandersittiche. Diese Papageien stammen aus Indien, und zwar aus einer gebirgigen Gegend, in der es im Winter ziemlich kühl werden kann. Sie sind raues Klima gewöhnt, und so können sie auch bei uns in Europa überleben. Inzwischen gibt es in vielen Städten unterschiedliche Papageienarten, in Stuttgart etwa Gelbscheitelamazonen.

52. Woher haben die Bockkäfer ihren Namen?

Wahrscheinlich hat das mit ihrem typischsten Merkmal zu tun: Sie tragen ihre meist körperlangen Fühler gekrümmt nach vorne. Die Fühler erinnern an Hörner, wie sie ein Bock trägt, und darauf bezieht sich ihr Name. Der Körper ist übrigens meist lang gestreckt und oft sehr bunt. Bockkäfer trifft man auf frisch geschlagenem Holz oder auf Blüten an.

Kaum zu glauben!

Die erfolgreichsten Jäger der Savanne sind Hyänen. Sie hetzen ihr Opfer, bis es erschöpft zusammenbricht. Bei der Jagd schlägt ein Rudel Hyänen eine Herde in die Flucht und versucht dabei, eines der Tiere, meist ein Jungtier, von der Herde zu isolieren. Einige Hyänen bleiben hinter dem Opfer, einige versuchen, an seine Seite zu kommen. Ist es umringt, wird es zu Boden gerissen und getötet.

53. Können Elefanten mit ihren Füßen hören?

Jeder Zoobesucher kennt das laute Trompeten der Elefanten. Es geht durch Mark und Bein, und die Tiere verständigen sich damit. Seit ein paar Jahren weiß man aber, dass es noch eine ganz andere Verständigung mit Tönen gibt. Sie sind so tief, dass wir sie gar nicht mehr hören können, tiefer als jedes Orgelgebrumm. Man spricht deswegen von Infraschall. Er breitet sich nicht nur in der Luft, sondern auch im Boden aus. Man kann sagen: Der Infraschall der Elefanten ist wie ein Mini-Erdbeben. Dieses leichte Vibrieren des Erdbodens nehmen die Tiere mit ihren Füßen und dem Rüssel wahr. Mit ihrem Gebrumm teilen die Elefanten ihren Artgenossen über Kilometer hinweg mit, wo sie sich gerade befinden, wo es etwas zu fressen gibt oder wo Gefahren lauern.

Rätsel

Er wird bis 30 Meter lang und kann bis 150 Tonnen wiegen. Das entspricht etwa der Menge von 30 Elefanten. Bereits das Baby ist bei der Geburt 7 Meter lang und wiegt 2 bis 3 Tonnen. Nach einem halben Jahr hat es sein Gewicht dank der äußerst nahrhaften Muttermilch mehr als verzehnfacht. Pro Tag legt es etwa 100 Kilogramm an Gewicht zu. Welches Tier ist gemeint?

Blauwal

54. Gibt es eine Spinne, die unter Wasser leben kann?

Tatsächlich ist die Wasserspinne eine ganz große Ausnahme. Sie ist die einzige Spinne, die dauernd unter Wasser lebt. Sie kommt auch bei uns vor, ist aber sehr selten. Zum Atmen braucht sie den Sauerstoff der Luft. Sie trägt an ihrem behaarten Vorderkörper dauernd einen Luftvorrat mit sich herum. Er liegt wie eine Jacke dicht am Körper und verleiht ihm ein silbriges Aussehen. Unter Wasser webt die Spinne eine Glocke. Von der Oberfläche holt sie Luftblasen und verstaut sie in der Glocke. So hat sie immer einen Luftvorrat.

55. Schlägt das Hermelin wirklich Purzelbäume?

Nicht aus purer Lebensfreude schlägt das 30 Zentimeter lange Hermelin seine Purzelbäume. Es tanzt gerne vor einem Kaninchen, das vor seinem Bau sitzt. Dabei legt es auch einige Purzelbäume ein. Das Kaninchen sieht fasziniert zu. Plötzlich greift das Hermelin an und bohrt seine Zähne in den Nacken des Kaninchens direkt hinter dem Schädel und durchtrennt dessen Wirbelsäule. Dann ist das Kaninchen tot. Das kleine Hermelin hat es schwer, seine riesige Beute zu seinem Bau zu schleppen.

56. Woher stammen die Perlen?

Perlen gelten heute noch als besonders kostbar. Sie stammen aus einer Muschel. Damit eine Perle entsteht, muss ein Fremdkörper in die Muschel gelangen, etwa ein Sandkorn. Sie wehrt sich dagegen: Die Innenseite der Muschelschale gibt schimmerndes Perlmutt ab und überzieht damit den Fremdkörper. Dadurch wird er unschädlich gemacht. Perlen wachsen in Muscheln aus dem Süßwasser und dem Meer. Die größten stammen von Austern. Perlen werden heute künstlich erzeugt: Man führt die Fremdkörper in die Muscheln ein und „erntet“ nach etwa zwei Jahren.

57. Sind Fische Haustiere?

Kois oder Zierkarpfen werden nicht gegessen. Sie sind Haustiere, Freunde des Menschen wie die Hunde. Sie sehen wundervoll aus, mit roten, weißen und gelben Mustern, sogar gelbgrün mit schwarzen Flecken. Gezüchtet werden Kois schon seit über 1 000 Jahren in Japan. Für die prächtigsten Exemplare geben Liebhaber schon mal 100 000 Euro aus. Der Karpfen gilt in Japan und China als sensibles, schlaues und widerstandsfähiges Tier. Und da Karpfen bis zu 100 Jahre alt werden können, sind die Kois auch Freunde fürs ganze Leben.

58. Welches Tier hat immer schwere Steine im Magen?

Vögel können nicht kauen, sie haben im Schnabel keine Zähne. Aber irgendwie müssen sie die harten Körner zerkleinern. Dazu schlucken Hühner zum Beispiel kleine Kieselsteine. Sie bleiben im Magen liegen. Bei der Verdauung bewegt sich die muskulöse Magenwand andauernd und zerreibt die Samen mithilfe der Steine. Berühmt für ihre Magensteine sind die Strauße. Sie haben immer ein Kilogramm Steine im Magen, der mit einer Hornschicht ausgekleidet ist. Sie müssen auch dauernd welche nachschlucken, weil die alten im Mahlwerk des Magens zerrieben werden.

59. Wie ist die Schleiereule zu ihrem Namen gekommen?

Die Gesichtsfedern der Schleiereule sind so angeordnet, dass sie wie ein großer oder zwei kleinere Fächer aussehen. Manche Menschen sehen darin eine Art Gesichtsschleier. Daher rührt der Name des Nachtgreifvogels. Die Schleiereule kann lautlos fliegen: Sie erzeugt kein Fluggeräusch. Sie hört wiederum ausgezeichnet. Wenn man Schleiereulen die Augen verbindet, fangen sie dennoch Mäuse.

60. Was unterscheidet das Haustier vom Heimtier?

Im Lauf der Jahrtausende schloss der Mensch ganz bestimmte Tiere besonders in sein Herz. Er hielt und züchtete sie bei sich zu Hause. Die meisten dieser Tiere brachten ihm einen Nutzen, etwa in Form von Fleisch, Kleidung oder Arbeitsleistung. Die wichtigsten Haustiere sind Rind, Pferd, Schaf, Schwein, Huhn und Ente. Unter den Amphibien und Reptilien gibt es keine Haustiere, wohl aber unter den Fischen und Insekten: Karpfen, Honigbiene und Seidenspinner. Moderne Haustiere sind Labortiere, etwa Mäuse, Ratten und Essigfliegen. Als Heimtiere bezeichnen wir jene Tiere, die wir als Wildtiere nur zu Hause halten.

61. Können Tiere sich selbst heilen?

Hunde fressen gelegentlich Gras. Sie nutzen es meist als Brechmittel, weil sie etwas Unbekömmliches loswerden wollen. Andere Tiere nehmen zu diesem Zweck Lehm auf, etwa die großen Papageien in Brasilien. Stoffe im Lehm binden dabei manche Gifte und machen sie so unschädlich. Auch Elefanten fressen Lehm, weil sie darin enthaltene Mineralstoffe brauchen. Schimpansen und Gorillas wissen, was für Heilkräuter sie nehmen müssen, wenn sie krank sind. Vogeleltern kleiden ihre Nester mit Kräutern aus, die ihre Jungen stärken. Und sie selbst reiben sich mit Ameisen ein, damit deren Säure Milben und andere Schmarotzer vertreibt.

62. Wer ist der Isegrim der Tierfabeln?

Isegrim heißt eigentlich Eisenhelm und bezieht sich auf den Wolf. Er wird überall gefürchtet – zu Unrecht. Es gibt keinen belegten Fall, dass Wölfe einen Menschen angefallen und getötet haben. Die bisherigen Berichte beziehen sich offensichtlich auf verwilderte Haushunde. Die sind wirklich gefährlich. Alle Haushundrassen stammen vom Wolf ab.

Schon gewusst?

Pottwale tauchen meist bis 1 200 Meter tief. Sie erreichen allerdings auch 3 000 Meter Tiefe und halten damit den Tauchrekord. Man weiß dies, weil sich ein Pottwal in einem Tiefseekabel verfangen hatte. In dieser Tiefe jagen Pottwale unter anderem Riesentintenfische, wie Magenuntersuchungen ergeben haben. Direkt am Meeresboden jagen sie auch Bodenfische und -krebse.

63. Was macht ein Schmarotzer?

Schmarotzer werden auch Parasiten genannt. Sie leben auf Kosten anderer Lebewesen, sogenannter Wirte. Ein recht bekannter Schmarotzer ist die Stechmücke, die sich von unserem Blut ernährt. Auch Läuse, Flöhe und Wanzen leben vom Menschen. Eingeweidewürmer leben in unserem Darm und lösen Krankheiten aus. Es gibt auch Lebensgemeinschaften, bei denen alle Beteiligte Nutzen haben: Im Darm leben zum Beispiel viele Bakterien, die bei der Verdauung helfen, und manche Bäume und Pilzarten können ohneeinander gar nicht überleben. Die nennt man dann aber nicht Schmarotzer, sondern Symbionten.

64. Können Tiere Werkzeuge herstellen?

Am begabtesten ist hierbei die Neukaledonische Krähe. Neukaledonien ist eine Inselgruppe zwischen Australien und den Fidschi-Inseln. Dort lebt eine Krähe, die etwa wie unser Kolkrabe aussieht. Sie angelt gerne nach verborgenem Futter in Spalten und Ritzen. Dazu stellt sie sich in mehreren genauen Arbeitsschritten aus Blättern der Schraubenpalme ein Werkzeug mit einem Widerhaken her, mit dem sie gut stochern kann. Die Krähe übertrifft dabei bei weitem die Werkzeuge, die sich zum Beispiel Schimpansen basteln, um Termiten aus ihrem Bau zu holen.

65. Welcher Vogel klebt seine Bruthöhle zu?

Die Kleiber. Die beweglichen kleinen Vögel brüten gerne in verlassenen Höhlen der Spechte. Um zu verhindern, dass noch andere Tiere in seine Bruthöhle gelangen, klebt der Kleiber die Nisthöhle so weit zu, dass nur noch er hinein- und hinausfliegen kann. Als Klebstoff verwendet er das Harz von Bäumen oder Lehm. Der Name Kleiber kommt von kleben. Die Oberseite des Kleibers ist graublau, die Unterseite gelborange. Er besitzt einen schwarzen Augenstreifen. Und vor allen Dingen: Er ist der einzige Vogel in Europa, der mit dem Kopf voran den Stamm hinunterlaufen kann.

Rätsel

Er lebt in der Sahara, der Wüste im Norden Afrikas. Die Tage verschläft er meist in seinem Bau unter der Erde und geht in der kühleren Nacht auf Nahrungssuche. Bei Gefahr gräbt er sich ein. Ihm genügt die Flüssigkeit, die er über seine Nahrung aufnimmt. Da er nicht zu trinken braucht, ist er optimal an ein Leben in der Wüste angepasst. Von welchem Tier ist hier die Rede?

Vom Wüstenfuchs oder Fennek

66. Haben alle Flamingos ein schönes rosarotes Gefieder?

Die ersten Flamingos in Zoos blieben weiß. Sie wurden nicht rosa. Forscher fanden Folgendes heraus: Die rosarote Farbe des Gefieders besteht aus Karotinoiden. So nennt man die Farbstoffe, die zum Beispiel in der Karotte vorkommen. Diese Karotinoide müssen die Flamingos mit der Nahrung aufnehmen. In der freien Natur sind das vor allem kleine Krebse. Bekommen die Flamingos andere Nahrung, so sind sie zwar gesund, bleiben aber weiß. Heute führt man die Karotinoide künstlich mit der Nahrung zu. Übrigens: Bei den Lachsen gilt dasselbe. Nur mit Karotinoiden im Futter werden sie so schön lachsrot!

67. Woher weiß ein Zugvogel, wohin er fliegen muss?

Dem Teichrohrsänger ist dieses Wissen angeboren: Keiner bringt es ihm bei. Er orientiert sich am Magnetfeld der Erde, an der Sonne und an den Sternen. Für den 6 000 Kilometer langen Flug nach Afrika braucht er Fettreserven. Der Teichrohrsänger fliegt nach Süden, überquert aber die Alpen nicht. Er fliegt an ihnen entlang und kommt so nach Südfrankreich. Für die 700 Kilometer offenes Meer nach Nordafrika braucht er etwa 15 Stunden. Das macht einen Schnitt von über 40 Kilometern pro Stunde. In Nordafrika angekommen, muss der Vogel erst wieder fressen und danach noch die Sahara überqueren.

68. Gibt es Tiere, die ihr Geschlecht wechseln können?

Bei manchen Fischarten führt ein Männchen eine Gruppe aus einigen Weibchen an und paart sich mit ihnen. Man nennt das eine Haremsgruppe. Stirbt das Männchen, so übernimmt das größte Weibchen die Leitung der Gruppe und entwickelt sich in wenigen Tagen zum Männchen. Es produziert nun Samenzellen statt Eier. Aus allen befruchteten Eiern schlüpfen Weibchen: Jeder Fisch ist also zu Beginn seines Lebens ein Weibchen. Bei Fischen kommen Geschlechtsumwandlungen häufig vor.

69. Was bezweckt der Feuersalamander mit seiner Färbung?

Natürlich weiß der Feuersalamander nicht, dass er gelb-schwarz gefleckt ist. Dafür hat er kein Bewusstsein. Aber seine Färbung nützt ihm, sie dient ihm als Warntracht. Er warnt damit andere Tiere davor, ihn anzugreifen. Er kann sich nämlich mit einem sehr starken Gift wehren, das er in seiner Haut trägt. Tatsächlich hat der Feuersalamander keine Fressfeinde in der Natur. Eine auffällige Warntracht ist übrigens weit verbreitet: Man denke etwa an die Wespen.

70. Wie ist der Auerhahn zu seinem Namen gekommen?

Vor über 500 Jahren hieß der mächtige Vogel noch Orhan, und das bedeutet nichts anderes als „Männchen“. Dann bildete man das Wort unter dem Einfluss von „Urochse“ oder „Auerochse“ in „Auerhahn“ um. Nur noch rund 1 000 Tiere leben davon in Deutschland. Die Weibchen sehen ziemlich unscheinbar aus. Die Männchen erzeugen bei der Balz merkwürdige Laute, die der Jäger unter anderem als Kollern bezeichnet. Wir hören nur einen Teil des Balzgesangs. Der größte Teil davon ist für uns Menschen zu tief.

Kaum zu glauben!

In den Tropen Mittel- und Südamerikas leben drei Fledermausarten, die sich vom Blut warmblütiger Wirbeltiere ernähren. Sie ritzen die Haut der schlafenden Tiere mit ihren messerscharfen Zähnchen an und lecken das austretende Blut auf.

71. Warum wurden manche Saurier so unvorstellbar groß?

Je größer eine Tierart wird, desto weniger einzelne Tiere gibt es. Es leben auf der Welt mehr Mäuse als Elefanten. Forscher haben ausgerechnet, dass kein Tier auf dem Land leben kann, das schwerer wird als 10 Tonnen. Warum aber wurden manche Saurier so viel größer als die Elefanten? Letztlich weiß man das nicht. Man fand heraus, dass Riesensaurier gar keine 100, sondern höchstens 40 Tonnen schwer wurden. Die Lösung des Problems: Luftsäcke. Überall im Saurierkörper lagen sie verteilt. Die Saurier waren möglicherweise Leichtbaukonstruktionen. Luftsäcke konnten die Tiere auch mit genügend Sauerstoff versorgen und gleichzeitig kühlen. Eine praktische Sache!

72. Leben Eintagsfliegen nur einen Tag?

Manche geflügelte Eintagsfliegen leben nur wenige Stunden: gerade so lange, um sich zu paaren und Eier zu legen. Ans Essen wird dabei gar nicht gedacht. Eintagsfliegen haben verkümmerte Mundteile und sind zum Fasten verurteilt. Aus den Eiern der Eintagsfliegen schlüpfen Larven. Diese leben aber viel länger als nur einen Tag, meistens ein, manchmal sogar mehrere Jahre. Sie leben im Wasser und fressen dort feinste Teilchen. Eintagsfliegen sind also gar nicht so kurzlebig.

73. Warum funkeln die Augen der Katzen in der Nacht?

Katzenaugen leuchten in der Nacht, wenn sie von einem Lichtstrahl getroffen werden. Das gilt auch für Eulen, Ratten, Hunde, Rehe und sogar Spinnen. Alle diese Tiere haben eine Art Spiegel im Auge. Er wirft das Licht zurück, das ins Auge gefallen ist. Tiere mit funkelnden Augen sehen in der Nacht besonders gut. Wir Menschen sind nachts ja fast blind. Die Rückstrahler am Fahrrad tragen ihren Namen zu Recht: Katzenaugen!

74. Zählen die Sandlaufkäfer zu den Tag- oder zu den Nachttieren?

Sandlaufkäfer sind wunderschöne metallisch grüne Insekten. Derart helle Farben tragen zumeist Tiere, die tagsüber aktiv sind. Nachttiere sind meist düster gefärbt. Aber von dieser Regel gibt es natürlich auch Ausnahmen, besonders bei den Nachtschmetterlingen. Die Sandlaufkäfer erkennt man leicht an ihrer typischen Verhaltensweise: Wenn man sich ihnen nähert, fliegen sie plötzlich auf und lassen sich in wenigen Metern Entfernung wieder nieder. Dabei beobachten sie den Eindringling und fliegen erneut weg, wenn er in ihre Nähe kommt.

75. Wie heißt der Urvogel, der in Bayern gefunden wurde?

„Alter Flügel" nennen ihn die Wissenschaftler, Archäopteryx. Er hatte Krallen an den Flügeln und Zähne im Schnabel. Damit erinnert er an kleine Dinosaurier. Tatsächlich stammen die heutigen Vögel von saurierartigen Reptilien ab. Ob der Archäopteryx richtig fliegen konnte, steht nicht fest. Vielleicht glitt er auch nur von Baumstamm zu Baumstamm.

Schon gewusst?

Die meisten Vögel setzen sich zum Schlafen auf Äste. Papageien zum Beispiel haben einen Schlafbaum, zu dem die Gruppe jeden Abend bei Einbruch der Dämmerung zurückkehrt. Es gibt aber auch Vögel, die im Fliegen schlafen: Der Mauersegler verbringt praktisch sein gesamtes Leben in der Luft. Selbst sein Nest befindet sich hoch oben in senkrechten Mauern und an Felsen. Auf dem Boden sind Mauersegler sehr unbeholfen und können nicht aus eigener Kraft losfliegen.

76. Warum hat der Förster Angst vor dem Buchdrucker?

Liest er etwa keine Bücher? Alles Quatsch. Der Buchdrucker ist eine Borkenkäferart, und die mag der Förster gar nicht. Sie bringen nämlich die Bäume in seinem Wald zum Absterben: Die Larven des Buchdruckers legen unter der Rinde von Bäumen Gänge an, die an einen Holzschnitt erinnern. Wenn der Baum – meist die Fichte – schon etwas kränkelt, stirbt er daran. Und wie heißt ein anderer Borkenkäfer? Kupferstecher!

77. Wie viele Haustiere gibt es unter den Insekten?

Bei Insekten denkt man nicht direkt an nützliche Tiere, eher an Schädlinge und Krankheitserreger. Bei der Honigbiene täuscht man sich da gewaltig. Sie besucht Blüten und bestäubt sie. Ohne Bienen gäbe es fast keine Ernten mehr. Das zweite Haustier unter den Insekten ist der Seidenspinner. Wenn sich seine Raupen verpuppen, spinnen sie einen kilometerlangen Faden. Aus diesem feinen Faden stellt man letztlich Seidenstoffe her. Noch ein drittes Insekt könnte man als Haustier bezeichnen. Es dient der Wissenschaft für Versuche: die Tau- oder Essigfliege.

Rätsel

Wie nennt man die Jungen der Wildschweine, solange sie ihr gestreiftes Fell tragen? Übrigens: Bei Gefahr bleiben die Jungen im dichten Bewuchs regungslos stehen und sind dann mit ihrem Streifenkleid hervorragend getarnt.

Frischlinge

78. Wie unterscheidet man bei Vögeln die Geschlechter?

Vielen Vögeln kann man es nicht ansehen, ob sie männlich oder weiblich sind – auch nicht, wenn man unter die Federn schaut. Mancher Zoo hat schon jahrelang zwei Papageien in der Hoffnung auf Nachwuchs in einem Käfig gehalten. Aber dann waren es zwei Männchen oder zwei Weibchen. Um das Geschlecht vieler Vögel zu bestimmen, musste bislang ein Tierarzt den Tieren in den Bauch schauen. Heute gibt es einen Gentest. Mit drei Federn kann man sagen, ob ein Papagei ein Weibchen oder ein Männchen ist.

79. Sind Delfine kluge Tiere?

Im Westen Australiens leben Große Tümmler, eine Delfinart, die ein ganz eigentümliches Verhalten entwickelt hat. Sie holen sich Schwämme vom Meeresboden und wickeln sie sich um die Schnauze, wenn sie im sandigen Meeresboden Futter suchen. Es sieht so aus, als wollten sie sich vor den Stacheln ihrer Beutetiere schützen. Merkwürdigerweise zeigen nur Weibchen dieses Verhalten. Es wird aber offensichtlich nicht vererbt, sondern die Tochter übernimmt es von ihrer Mutter. Wenn man Wissen auf diese Weise weitergibt, bezeichnet man das als Kultur – und die gibt es offensichtlich auch bei Tieren.

80. Welches Tier hat die größten Augen im Tierreich?

Die größten Augen im gesamten Tierreich besitzen Tiere, die so weit unten im Meer leben, dass es da kaum etwas zu sehen gibt: Die Riesenkalmare. Sie haben Augen mit einem Durchmesser von bis zu 40 Zentimetern, fast doppelt so groß wie ein Fußball. In Neuseeland wurde einmal ein Tier mit einem 8 Meter langen Körper und 14 Meter langen Fangarmen an Land gebracht. Aus dem Mageninhalt von Pottwalen, die Kalmare gefressen hatten, weiß man aber, dass es Tiere mit einer Gesamtlänge von 25 Metern gibt. Lebendig hat sie noch niemand gesehen.

81. Kann der Hirschkäfer seine Zangen ins Holz hineinbohren?

Nein, der Käfer kann zwar ganz schön zwicken, aber Holz würde er niemals schaffen. Übrigens haben nur die Männchen Zangen. Sie kämpfen damit um die Weibchen. Diese legen Eier in morsches Eichenholz. Die bis zu daumengroßen Larven leben darin mehrere Jahre, bevor sie sich verpuppen.

82. Warum zeigen uns Schwalben, wie das Wetter wird?

Wenn die Schwalben tief fliegen, dann sollte man eine Regenjacke mitnehmen. Meist regnet es bald. Es herrscht dann niedriger Luftdruck, und dabei fliegen die Insekten nur in geringer Höhe. Die Schwalben, die sich von Insekten ernähren, folgen ihnen: Sie fliegen knapp über dem Boden. Bei schönem Wetter und Hochdruck sind Insekten überall in der Luft.

83. Bei welchen Fischen ist das Kinderkriegen Männersache?

Das Weibchen der Seepferdchen legt seine Eier in eine Tasche am Bauch der Männchen. Dieses brütet sie aus und bringt sie nach ein paar Wochen auf die Welt. Seepferdchen zählen zu den merkwürdigsten Fischen: Röhrenschnauze, Glotzaugen, aufrechte Haltung. Aber leider geht es diesen Wundertieren nicht gut. Die Chinesen verwenden sie seit Jahrhunderten als Arznei gegen alle möglichen Beschwerden. Überall in China kann man getrocknete Seepferdchen kaufen.

84. Tragen Fliegen Geweihe?

Fliegen sehen in der Regel nicht viel anders aus als die lästige Stubenfliege am Küchenfenster. Unter den einheimischen Schwebfliegen gibt es nur ein paar attraktive schwarz-gelb gebänderte Arten. In den Tropen ist das anders. Die Männchen einiger Arten tragen dort richtige Geweihe, mit denen sie auch kämpfen. Man fragt sich, wie die Tiere damit fliegen können und warum sie überhaupt Geweihe tragen. Das liegt an den Weibchen: Sie haben eine Schwäche für Männchen mit großen Geweihen.

Kaum zu glauben!

Nicht nur Spinnen bauen Fallen. Forscher haben entdeckt, dass es auch unter den Ameisen Fallensteller gibt. Eine brasilianische Art, die auf Bäumen lebt, baut aus Pflanzenhaaren eine Art lang gezogenes Dach. Ein Schimmelpilz überwuchert das Ganze. Das Dach hat zahlreiche Löcher, hinter denen Ameisen lauern. Lässt sich nun eine Heuschrecke auf dieser Galerie nieder, so greifen die Ameisen aus den Löchern an und halten die Beute fest, bis andere Ameisen sie totgestochen haben.

85. Sterben viele Menschen in Deutschland an Schlangenbissen?

In Deutschland gibt es nur zwei giftige Schlangenarten – die nur im Südschwarzwald heimische Aspisviper und die Kreuzotter –, aber auch an deren Biss ist in den letzten Jahrzehnten nie ein Mensch gestorben. Kreuzottern haben übrigens eine Zickzack-zeichnung auf dem Rücken.

86. Warum fliegen große Vögel oft in einer V-Form hintereinander?

Zur Zeit des Vogelzugs, im Herbst und Frühjahr, sieht man immer wieder hoch oben am Himmel große Zugvögel fliegen, am häufigsten Wildgänse. Meist bilden sie eine V-Form: ein Tier vorne, die anderen seitlich nach hinten versetzt. Die Tiere sparen dabei Energie, denn sie fliegen ein bisschen im Windschatten des Vordermannes. Ihr Herz muss dann nicht so oft schlagen. Der Formationsflug erlaubt es den Vögeln auch, immer mal wieder zu gleiten, einen Schlag auszusetzen und sich auszuruhen.

87. Wie viele Beine haben Spinnen?

Insekten und Spinnen sind leicht anhand der Zahl ihrer Beine auseinanderzuhalten. Insekten haben immer sechs Beine und meistens vier Flügel. Spinnen haben nie Flügel und immer acht Beine. Acht Beine haben auch mit den Spinnen verwandte Tiergruppen, zum Beispiel die Weberknechte.

88. Krabbeln Ameisen einfach wild und ungeordnet durcheinander?

Die einen Ameisen schaffen Futter nach links, die anderen schleppen Futter nach rechts. Man wundert sich manchmal, dass Ameisen überhaupt etwas zustande bringen. Das sieht alles ziemlich chaotisch aus Aber der erste Eindruck täuscht. Französische Forscher haben nun nachgewiesen, dass es bei den Ameisen so geordnet zugeht wie bei uns im Straßenverkehr. Bei einem Engpass warten die einen, bis die Stelle frei ist. Dann passieren sie die enge Stelle im Pulk, und die anderen warten. Und so geht das den ganzen Tag – als ob eine Ampel den Verkehr bei den Ameisen regeln würde.

Rätsel

Diese Tiere sind sommers in der Nacht wach und jagen meist fliegende Insekten. Tagsüber schlafen sie in Baumhöhlen, Höhlen, auf Dachböden, in Gebäuden oder Nistkästen. Dazu hängen sie sich mit den Krallen ihrer Hinterfüße an die Decke in feinste Ritzen und Spalten und hüllen ihre Flughäute wie einen Mantel um den Körper. Von welchen Tieren ist die Rede?

Von Fledermäusen

89. Haben alle Vögel Federn?

Es gibt ein paar Vogelarten, die an gewissen Stellen des Körpers keine Federn tragen. Die Geier beispielsweise haben einen nackten Hals. Federn würden dort beim Wühlen in den Kadavern zu schmutzig. Aber einen nackten Vogel hat die Natur nicht erfunden. Trotzdem wurde er jetzt gezüchtet: ein rosarotes Nackthuhn, dem höchstens noch am Schwanz ein paar kümmerliche Federn wachsen. Es soll weniger unter der Hitze leiden und eignet sich somit für südliche Länder.

90. Wie groß ist die größte Ameisenkolonie der Welt?

Die Argentinische Ameise breitete sich bereits vor 100 Jahren aggressiv in die USA aus. Dabei bekämpfen sich die einzelnen Kolonien heute nicht mehr gegenseitig wie früher. Sie sehen sich nicht mehr als Konkurrenten, sondern als Geschwister. Ganz Kalifornien wird also von einer einzigen Superkolonie dieser Ameisen bewohnt. Nun hat man in Europa noch viel größere Kolonien der Argentinischen Ameise entdeckt. Sie reichen 6 000 Kilometer weit von Norditalien bis nach Nordspanien. Das sind sicher Hunderte von Billionen Tiere.

91. Gibt es Schnecken mit einem Pelz?

Es gibt tatsächlich Schnecken mit einem Pelz auf ihrem Gehäuse. Sie sind rund 10 Millimeter groß und haben 2 Millimeter lange Haare. Der Pelz wärmt aber nicht. Dazu stehen die Haare zu dünn. Die Pelzschnecken leben in feuchten oder nassen Wäldern. Die Haare helfen ihnen, den Halt auf nassen Blättern nicht zu verlieren. Die Haare halten einen Wasserfilm fest. Er überzieht das ganze Tier und verankert es auf dem Blatt. Das ist für die Tiere von Nutzen. Denn wenn sie abstürzen, müssen sie bis zu einem Meter wieder auf die Pflanze hochklettern.

92. Was putzt der Putzerfisch?

Der Putzerfisch befreit andere Fische von ihren Hautparasiten. Selbst Raubfische halten schön still, wenn er ihnen ins Maul kriecht. Der Putzerfisch hat täglich etwa 100 Kunden, Stammkunden und Laufkunden, die nur gelegentlich vorbeischauen. Laufkunden behandelt der Putzerfisch ganz höflich und vorsichtig. Zu Stammkunden ist er oft grob. Manchmal beißt er ihnen ein Stück Haut weg. Das tut er aber nie, wenn Laufkunden zusehen. Und einen gebissenen Stammkunden erkennt der Putzerfisch das nächste Mal wieder und behandelt ihn ganz zuvorkommend, sodass er wieder besänftigt ist.

93. Welches Hochzeitsgeschenk stammt vom Meeresboden?

Japanische Schwammtaucher holen aus 40 Metern Tiefe immer wieder einen länglichen Schwamm. Er sieht zunächst unansehnlich aus. Aber dann befreit man ihn von seinen Zellen, bis nur noch das Skelett übrig bleibt. Es besteht aus verschiedenen harten Glasfasern: ein Wunderwerk der Natur. Der Schwamm sieht wie ein gewirkter Strumpf aus mit mehreren Mustern übereinander. Auf Deutsch heißt er übrigens Venusblumenkörbchen. Die Japaner verschenken ihn tatsächlich zur Hochzeit.

94. Gibt es fleischfressende Raupen?

Die meisten Raupen fressen alle möglichen Pflanzen. Nur ganz wenige Raupen haben sich auf Fleisch spezialisiert. Eine davon lebt in den Regenwäldern von Hawaii. Sie tarnt sich auf dem Boden mit einem Gehäuse, das sie aus Seidenfäden spinnt. Mit Seide fesselt sie auch ihre Beute, schlafende kleine Schnecken. Am andern Tag frisst sie ihre Beute genüsslich bei lebendigem Leibe auf. Der fertige Schmetterling sieht nach dem Schlüpfen aus der Puppe übrigens ganz unauffällig und harmlos aus.

95. Tragen Pistolenkrebse Waffen?

Der Pistolenkrebs ist eine zarte, 6 Zentimeter lange Garnele. Ihre rechte Schere ist stark vergrößert: Wenn der Krebs die Scherenhälften mit einer Geschwindigkeit von 6 Metern in der Sekunde zuschnappen lässt, hört man ein lautes, knallendes Geräusch. Dabei entsteht ein Hochdruckstrahl, mit dem die Krebse sogar Aquarienwände zertrümmern können. Die Tiere imponieren sich mit dem Hochdruckstrahl bei Schaukämpfen gegenseitig. Sie halten damit auch Feinde fern und betäuben auch schon mal kleine Beutetiere.

Kaum zu glauben!

Vögel schminken sich. Zwar nicht alle, aber einige Arten helfen ihrer Schönheit selbst nach. Der Pelikan malt sich einen Kehlfleck mit körpereigenem Bürzelöl an. Manche Möwen schminken sich damit rosa. Bartgeier und Kraniche färben ihr Gefieder mit eisen- oder torfhaltigem Wasser. Was lernen wir daraus? Der Mensch fällt mit seinem Schminktopf nicht aus der Rolle. Und: Manche Vögel sind ziemlich eitel.

96. Wo kann man Seekühe sehen?

So schön ein Besuch im Tierpark ist, Seekühe werden nicht überall gehalten. Und in der Natur sind sie auch sehr selten geworden. Man unterscheidet zwei Gruppen. Die Manatis kommen von Florida bis nach Südamerika und an der Küste Westafrikas vor. Die Dungongs leben nur in Asien und Australien.

97. Gibt es Tiere, die in einem Wasserfall leben können?

Das Wasser eines Wasserfalls donnert herab, nicht aus Duschhöhe, sondern von sehr viel weiter oben. Das Wasser würde uns richtig wehtun. Einige Spezialisten haben sich diesem Lebensraum angepasst, zum Beispiel eine Mückenlarve. Sie saugt sich an der glitschigen Unterlage mit Saugnäpfen fest. Diese sind mit einer Art Pumpe verbunden, die ein Vakuum erzeugt. Selbst wenn die Mückenlarve kriecht, halten sie immer zwei Saugnäpfe fest. Die Larve weidet grüne Algen auf der Felsoberfläche ab. Feinde braucht die Mückenlarve nicht zu befürchten. Hier im Wasserfall kann kein räuberisches Tier leben.

Rätsel

Innerhalb der Siedlungen hat dieses Tier das Abwassersystem, Keller oder Müllhalden erobert. Es zählt zu den häufigsten wild lebenden Säugetieren in Siedlungen. Man schätzt, dass pro Einwohner mindestens ein Exemplar dieser Art in der Kanalisation der Städte lebt. Welches Tier ist gemeint?

Wanderratte

98. Was sind Tränenschlürfer?

Die meisten Schmetterlinge ernähren sich von süßem Blütennektar. In Südostasien leben jedoch einige Ernährungsspezialisten. Sie haben sich von den Blüten verabschiedet und saugen heute die Tränenflüssigkeit großer Tiere, besonders von Wild- und Hausrindern. Sie sitzen nachts um die Augenlider der Tiere herum und reizen mit ihrem Rüssel den Augapfel, sodass er zu tränen beginnt. Die Tränen enthalten verwertbare Nährstoffe. Einige Tränenschlürfer saugen sogar Blut aus offenen Wunden.

99. Wie sind die Seelöwen zu ihrem Namen gekommen?

Manche Robbenarten bezeichnet man als Seelöwen. Bei ihnen hat das Männchen eine Mähne, die an Löwenmännchen erinnert. Der Stellersche Seelöwe hat bis auf die Mähne kaum Haare. Und auch sein Gebrüll klingt wie das eines Löwen. Um es erschallen zu lassen, stemmt er sich gerne auf die Vorderflossen und ist dann über 2 Meter groß. Die Weibchen sind viel kleiner und wiegen auch nur ein Drittel so viel wie die Männchen – dafür werden sie deutlich älter. Männliche Stellersche Seelöwen erreichen ein Alter von etwa 20 Jahren, die Weibchen von ungefähr 30 Jahren.

100. Wie jagen Gliederspinnen?

Die Gliederspinnen graben Wohnröhren in den Boden. Sie verschließen sie mit ganz unauffälligen Deckeln. In der Umgebung der Höhle spinnen sie Stolperfäden. Wenn ein Tier sie berührt, wird die Spinne in ihrem Loch alarmiert und stürzt hinaus. Ein Bein aber behält sie im Eingang, damit die Türe nicht hinter ihr zufällt.

Schon gewusst?

Der Moschusochse besitzt unter den Säugetieren das längste Fell. Die Haare am Hals und an den Körperseiten der Moschusochsen messen bis zu 90 Zentimeter. Durch das dichte Fell sind die Tiere gut gegen die Kälte geschützt.

101. Was ist ein Schneckenkönig?

Schneckenkönige sind Schnecken, deren Häuschen sich in die andere Richtung als bei den übrigen Schnecken windet. Nur bei einer von etwa 20 000 Weinbergschnecken dreht sich die Spirale des Häuschens links herum, bei allen anderen Schneckenhäusern dreht sich die Spirale rechts herum. Schneckenkönige sind also sehr selten. Es gibt Sammler, die 250 Euro für einen Schneckenkönig bezahlen.

Bildnachweis

Fotos: picture-alliance/chromorange: S. 26, 39; picture-alliance/dpa: S. 48; picture-alliance/Helga Lade Fotoagentur GmbH: S. 15; picture-alliance/Klett GmbH: S. 23; picture-alliance/KPA/Hackenberg: S. 11; picture-alliance/KPA/HIP/Ann Ronan Picture Library: S. 47; picture-alliance/OKAPIA KG: S. 2, 5, 6, 13, 17, 20, 28, 33, 36, 40, 44, 46, 54, 57, 62; picture-alliance/ZB: S. 30, 42

Illustrationen: Oliver Bieber, Christine Bietz, Peter Friedl, Anke Krakow, Miles Kelly Art Library, Gerd Ohnesorge, Reiner Zieger

Emil-Hoffmann-Straße 1, 50996 Köln
Umsetzung: Verlagsservice4kids, Ravensburg
Layoutentwurf und Satz: art und weise, Freiburg
Gesamtherstellung: Schwager & Steinlein Verlag GmbH

Art. Nr. 13231.13
ISBN 978-3-86775-231-2
www.schwager-steinlein-verlag.de